KB217808

"내가 누구를 보내며
누가 우리를 위하여 갈꼬"

조용한 영웅

발 행 | 2024년 3월 31일
저 자 | 서원혁
펴낸이 | 한건희
펴낸곳 | 주식회사 부크크
출판사등록 | 2014.07.15.(제2014-16호)
주 소 | 서울특별시 금천구 가산디지털1로 119 SK트윈타워 A동 305호
전 화 | 1670-8316
이메일 | info@bookk.co.kr

ISBN | 979-11-410-7853-9

www.bookk.co.kr
ⓒ 서원혁 2024
본 책은 저작자의 지적 재산으로서 무단 전재와 복제를 금합니다.

조용한 영웅

BOOKK

차 례

| 여는 말 |

생명을 주신 분께
생명을 드리고 싶었습니다.
하루 또 하루
그래야만 마음이 흡족했습니다.

온 힘을 다해 하던 일들을
내려놓으라 하실 때는
주저앉는 느낌이 들어
눈물이 나고 어색하기도 했습니다.

어색하지 않아야 할 상황이
어색하게 느껴지는 것을 보고
예수님과 마음을 마주하는 일이
나에게 전부가 아니었음을 깨닫게 되었습니다.

오직 사랑 안에서
다시 시작할 기회를 주셨습니다.
죽음에서 돌아온 '조용한 영웅'을 통해서
사랑으로 첫 단추를 다시 꿰고
옷깃을 여미게 해주셨습니다.

이젠 사랑이 사명과 분리되지 않음을
분명하게 알게 해주시며
어찌할 수 없는 뜨거움을 부으시며
몰아가십니다.

어느 날 작은교회의 한 지체가
바보 의사 장기려 박사님에 관한 책을 읽고
'조용한 영웅'에 대해 들려주었습니다.

진정 사람을 사랑하고 섬기는
당신의 선하고 아름다운 일에 잠잠히 동참하는
'조용한 영웅'들로 우리를 부르고 계심을 느낍니다.

"내가 누구를 보내며 누가 우리를 위하여 갈꼬"
-이사야 6장 8절-

이 시를 읽는 모든 분들과 함께 손을 맞잡고
이 길을 함께 걸어가길 꿈꾸며 기도해요.

이름도 모르는 당신을 사랑합니다.

관계있음

관계자 외
출입 금지

엉성한 팻말 하나
놓아두고

달팽이 껍질 속에
쏙 들어가 버린 내 친구

너를 가둔 팻말
슬쩍 치워두고

껍질 속에
들어가고 싶지만

사뿐사뿐
한 걸음 또 한 걸음

내가 한 걸음 다가설 때
네가 한 걸음 나에게 오면
얼마나 좋을까

내가 한 걸음 다가설 때
그저 너는 들어줘

나의 한 걸음 또 한 걸음
그 진동하는 향기를
가만히 들어줘

'관계있음'
'너와 관계있음'

고마워

망설이지 않고
가 줘서

스스럼없이
일어나 줘서

내 발걸음이 되어
찾아가 줘서

내 입술이 되어
말해 줘서

내 마음이 되어
품어 줘서

나와 함께
걸어가 줘서

정말 찾아가고 싶었거든
정말 이야기 나누고 싶었거든
정말 품어주고 싶었거든

고마워

정말 고마워

나와 함께해 줘서

나와 함께 걸어가 줘서

봄이 왔다

봄이 왔다
산에, 들에 진달래꽃
개나리꽃

환하게
수줍게
찬란하게

모든 것이 감사로 펼쳐진 날
모든 것이 감사로 열린 날

네가 행복하길
네가 자유하길
바라

흙먼지 자욱하게 끼었지만
뭐 어쩌겠어
이미 봄은 왔는 걸

사랑할 수밖에 없는 분

하나님이
인간을 위해
죽으셨다

마세라스의 고백
"이것으로 충분합니다."

잠시 그분에 대해
생각할 시간을
주세요

한 번만 바라보면
한 번만 들어보면
한 번만 맡아보면
한 번만 안아보면
사랑할 수밖에 없는 분

그분의 눈빛
그분의 음성
그분의 향기
그분의 따스함

사랑할 수밖에 없는 분

사랑할 수밖에 없는 분을
사랑하지 않는 것은 죄
눈이 먼 어둠
들리지 않는 적막

사랑할 수밖에 없는 분을
사랑하지 않는 것은 저주

맞아요

당신이 찾던 그분
바로 그분이에요

당신이 찾던 사랑
바로 그 사랑이에요

맞아요
딱 그분이에요

당신이 찾던 자유
바로 그 자유예요

당신이 찾던 바로 그 쉼
딱 그 쉼이에요

맞아요
딱 그분이에요

당신이 찾던 평강
바로 그 평강이에요

당신이 찾던 소망
바로 그 소망이에요

맞아요
당신이 무엇을 생각하든
그 이상이에요

맞아요
당신이 갈망하던
바로 그분이에요

안겨요

부등호

더 커요
이쪽이 저쪽보다
더 커요
언제나 더 커요
훨씬 더 커요

미움보다 사랑이
내 사랑 없음보다 당신의 사랑이
더 커요
훨씬 더 커요

어둠보다 빛이
내 추함보다 당신의 선함이
더 커요
훨씬 더 커요

언제나 더 커요
영원히 더 커요
나는 보이지도 않을 정도로
당신이 더 커요

당신은

언제나 나를 지워줘요

무엇을 가져다 대어도

당신은 언제나 부등호

당신이 더 커요

먼저

“내가 먼저 왔잖아!”
“내가 먼저 잡았어!”
흥분하여 소리치는 아이들 속
키 작은 음성

사랑한다 말해도 될까요
이렇게 부족한데
이렇게 더러운데
사랑한다 해도 될까요

“내가 먼저 사랑했잖아.”
“내가 먼저 갈망했잖아.”
“내가 끝까지 사랑했잖아.”
“내가 영원히 사랑할 거야.”
네가 아니라
내가 먼저
너를 사랑했잖아

믿기 힘들겠지만 말해볼게

믿을 수 없겠지만
말해도 될까

아이 태어나기 전
불룩 나온 배
지금이 가장 아름다운 몸

믿기 힘들겠지만
말해볼게

갓 태어난 아기
철없는 아이 손잡고
다크서클 축 내려와
오늘도 병원 데이트
지금이 가장 달콤한 시간

믿기 힘들겠지만
말해볼게

날카로움 다 사라지고
통통해진 몸매

아이 안고 집 앞에만 서성여도
지금이 가장 눈부신 시간

지금은
믿기 어렵겠지만
그래도 말해볼게

빛나는 시간
쏜살같은 어둠 헤쳐 나와
이제는 지팡이 짚고 하늘 보는
우리 엄마가 해주는 말

취하고 싶습니다

취하고 싶습니다
당신의 아름다움에
당신의 눈부심에
당신의 사랑에
취하고 싶습니다

잠시 산책 나왔다가
돌아오는 길처럼
당신 손잡고
아장아장
가볍게 걷기 원합니다

취하고 싶습니다
당신의 향기에
당신의 눈빛에
오직 당신의 뜨거운 가슴에
취하고 싶습니다

그렇게
오늘도 그렇게
내일도 그렇게

당신에게 온통 취해서
당신으로 가득해서
한껏 누리다가
그러다가 다시
당신 품에 안기기 원합니다

영원토록
당신에게 취하기 원합니다

구름 한 점 없는
맑은 날처럼
온통 당신에게만 취하고 싶습니다

당신에게 가는 길
당신이 놓아두신 모든 꽃들
그 향기 맡으며
당신에게로 갑니다

당신이 놓아둔 선물
그 모든 꽃들 가슴에 담아
당신에게 향기롭게
더욱 향기롭게

오직 당신에게만 취하기를

오직 당신에게만 사로잡히기를

꽃같이 향기롭게 드려지길

엄마의 지팡이는 위대해

엄마는 믿음의 선배
교복처럼 갈아입은 환자 옷
여러 번 봤었지

끌리는 학교 분위기도 아니고
맘에 드는 스타일의 교복도 아니고
기분이 유쾌하지도
환영해 주는 박수 소리도 없지만 말이야
주님 손잡고
신입생 환영회에 나서는 거야

여러 번 수술에
또다시 되살아나
지팡이 짚고 걷는
엄마는 위대해

지팡이 놓고
자유롭게 걷길
매일 기도하지만

사실 엄마가 짚고 있는 지팡이는

두 손에 있지 않고

따스한 가슴에 있기에

엄마의 지팡이는 위대해

우리를 끝까지 인도해

너와 내가 아닐까

하나님이 임재하시는
학교의 모델은
나타나기는 하지만
손에 잡히는 무언가는
아닐 수 있어

달콤한 맛이 나기는 하지만
붕어빵처럼 찍어내지는 못할 거야

향기롭기는 하지만
어디에도
꽃피운 모습은 보지 못할지도

글로 적어 보기도 하겠지만
온전히 설명하지는 못할 거야

회개한 한 사람일 수도
사랑하는 한 사람일 수도
기도하는 한 사람일 수도
발을 닦아주는 한 사람일 수도

비추는 빛깔대로
담아내는 그릇대로
모습을 바꾸지만
사랑의 샘을 담고 있는
누군가가 살고 있어

너와
내가
아닐까?

진짜면

나는 면을 좋아해
면만 하루 종일 먹을 수도 있어

하지만
진짜면은 라면은 아니야

막으려 하지 않아도
덮으려 하지 않아도
이기려 하지 않아도
끊으려 하지 않아도

진짜면
진짜라면
이기는 거야
가장 환하게 빛나고 있을 테니까

계속 사랑해
계속 발을 닦아
진짜면
아무도 무너뜨리지 못해

내가 두드릴 테니

너는 내게

비단길

레드 카펫

걸어보고 싶고

한 번쯤 딛고 싶어지는 길

붉은 길

흐르는 길

내 피로 깔아둔 길

내가 문을 두드릴게

너는 마음 문을 열어주렴

예수님

예수님께는
이견이 없어요

예수님 앞에 서면
모든 틀이 무너져요

예수님 앞에 서면
어린아이가 됩니다

순수

사랑합니다
사랑해요

나는 흔들리지 않아
나는 변하지 않아
너를 사랑하는 것에서
조금도 움직이지 않아

누르려는 게 아니라
자유롭게 하려는 거야
주저앉히려는 게 아니라
일으켜 세우려는 거야

나를 보지 못하게 하는
모든 것을 걷어치우고
순수하게 사랑하려는 거야

내 손을 잡고
넘을 수 없는 벽을 넘어
내 품에 안겨
건널 수 없는 강을 건너

지금은 하나님의 마음을 들어 드려야 할 때

누군가 정다운 마음으로
네 어깨에 살포시 손을 올려놓을 때

함께 걸으며
네 귓가에 속삭일 때

그때는
마음으로 들어주어야 해

지금은 하나님의 마음을
들어 드려야 할 때

어깨동무하듯 우리를 감싸시는 마음을
토닥토닥해야 할 때

내 마음을 소유하세요

찾을 수 없게
아무도 찾을 수 없게
내 마음을 소유하세요

내 마음에서
당신 외에는 찾을 수 없게
내 마음을 소유하세요

당신과 함께 사는 것 외에는
내 마음에서 찾을 수 없게
내 마음을 소유하세요

언제나 그 누구도
더 이상은
내 마음 안에서
그 어떤 다른 것도 발견할 수 없게
내 마음을 소유하세요

내 안에서
오직 당신만이 보이도록
나를 소유하세요

나는 어떤 맏아들이 되어야 할까

아빠는 외로워
모든 것의 주인이라도
마음 알아주는 이 없어
아빠는 외로워

죽었던 아들이 살아나고
잃었던 아들 되찾아
기쁜 아빠에게
역정 내는 맏아들

나는 어떤 맏아들이 되어야 할까

아빠와 함께 기뻐하고
아빠와 함께 아파하는
아들이 되어야지

그 눈물 닦아드리는
맏아들이 되어야지
아빠와 함께 춤추는
아들이 되어야지

얘 너는 항상 나와 함께 있으니
내 것이 다 네 것이 아니냐
말씀하기 전에 알아차려야지

그 모든 것 다 없어도
아빠만 있으면 나는 족하다고
아빠와 합한 마음
아빠와 덩실덩실 춤추는
그런 맏아들이 되어야지

그렇게 하셨네요

말도 안 돼
그렇게는 못해요
불가능해요

아들 죽인 원수를
아들 삼는 건
그렇게는 못해요

말도 안 돼
그렇게는 못해요
불가능해요

아들 죽인 나를
아들 삼은
하나님 아버지

그랬군요
그렇게 하셨군요
끝까지
사랑하셨군요

그렇게 하셨네요

beauty

아름다워요
아름답습니다

신랑은 신부의 아름다움에
그만 넋을 잃고 말아요

아름다워요
아름답습니다

신부는 신랑의 사랑에
눈이 멀고 말아요

아름다워요
아름답습니다

더 이상 사랑하기 위해
애쓰지 않아도 돼요

사랑하지 않고서는
견딜 수 없이
당신은 아름다워요

하나님은 죄인을 사랑하시는 분입니다

하나님은 이해할 수 없는 분입니다
하나님은 담을 수 없는 분입니다

저마다
돌 하나씩 주어 집어던지며
정죄의 돌무덤 만들 때
그 돌 하나 주섬주섬 집어내는

정죄할 수 있는
심판할 수 있는 분이
보좌에서 내려와
죄인을 대신하는
하나님은 형언할 수 없는 분입니다

죄인을 사랑하시는
원수를 사랑하시는
자신을 못 박는 자녀들을 위해
두 팔을 벌리는
하나님은 아버지십니다

zero base

제로 베이스는
좋은 거야

이만큼
쌓아 올린 것이
다 무너지고

이만큼
수고한 것이
다 사라지고

이만큼
마음을 쏟았던 것이
되돌아갈 때

다시 처음으로
돌아가는 것 같아
고개가 갸우뚱 거려질 때

제로 베이스는
좋은 거야

네가 뭘 붙들고 사는지
뭘 마음에 두고 사는지
투명하게 보게 해주거든

다 무너지고
다 사라지고
원래대로 다 돌아가도

여전히 기쁘고
여전히 행복하고
여전히 희열에 차 있을까

오직 그 눈동자
예수님의 눈동자를
바라보고 있는 사람만
가능해

제로 베이스는
좋은 거야
그래서 좋은 거야
이만큼 좋은 거야

다 내려놓을 때
다 두고 떠날 때가
곧 오거든

해 아래 새것이 없으니
제로 베이스는
정말 좋은 거야
은혜야

하나님이 내 아빠라서 가장 좋은 한 가지

매일 밤 서너 번
잠이 깼다고 울며 찾아오는 진아
아내가 잠 깰까
삐걱- 문 여는 소리 들리기 전에
발자국 소리만 들려도
들쳐 안고 다시 재우러 들어가는 나

진아가 갈망하는 건 엄마야
진아가 갈망하는 건 아빠야
내가 갈망하는 건 관계야
사랑이야

아무것도 나를 흔들 수는 없지
아무것도 나를 낙심시킬 수는 없어

하지만
하나님과 관계에 문제가 생긴 것 같으면
'쿵'하고 주눅이 들어

그런데
하나님이 내 아빠라서 좋은 한 가지

가장 좋은 한 가지
언제든지 아빠가 채워줄 거라는 안도감
언제든지 아빠가 받아줄 거라는 자신감

아빠가 갈망하는 건 나야
아무 두려움 없이
아무 거리낌 없이
아무 눌림 없이
아무 주저함 없이
아무 염려 없이
아무 가식 없이
아무 망설임 없이
있는 모습 그대로 나갈 수 있어서
하나님이 내 아빠라서
정말 좋다

사랑받는 건 참 좋아

원주에 가면
내 동생 부부가 살아

아무 잘해주는 것도 없는데
내가 맨날 보고 싶대

형이라고 가면
자리 잡아 놓았다고
어디로 오면 된대

두 아이 키우며
피곤할 텐데도
맨날 맛난 걸 사주고
따뜻한 걸로 배불리 먹여주고
사랑해줘

나는 무슨 말을 해야 할지도 몰라
내 말투는 늘 잔잔한대
내 동생 부부는 유쾌하고 재미있어
늘 감격하고 감격해

질문이 많고
듣는 걸 좋아하는
동생 부부는
만날 때마다 무언가를 계속 물어봐

맨날 사랑한대
뭔가를 자꾸 채워주려 해

아! 사랑받는 건 참 좋구나
이렇게 받기만 하면 안 되는데
아! 그래도 사랑받는 건 참 좋아
행복해

앞날은 모르는 거니까

책을 읽어요
이해하고 싶은 게 많아
밤으로 낮으로 책을 읽어요

하지만
오늘 하루 사랑하며 살면
충분하대요

앞날은
모르는 거니까

고민도 하고
준비되고 싶어서
공부도 많이 해요

하지만
오늘 하루 사랑하며 살면
된 거래요

앞날은
모르는 거니까

어디로
어떻게 디뎌야 할지 몰라
진통하며 보내요

하지만
오늘 하루 사랑하며 살면
다 이룬 거래요

누구도
앞날은
모르는 거니까

하나님의 일은
하나님께서 하세요
하나님의 영광은
홀로 빛나요

하나님의 영광을 위해
제가 할 일은 없어요
하나님께서 성취하시기 위해
제가 할 일은 없어요
오직 아멘이라고 말해요

어쩌면 우리는 과정 가운데 있을 수 있대요

앞날은 모르는 거니까

그저 오늘 하루 사랑하면 그걸로 됐어요

[1]유기(遺棄)의 외침

"엘리 엘리 라마 사박다니"

나는 버려지고 싶지 않아
누구도 버려지고 싶진 않아

들을 수 없어
볼 수 없어
자꾸 피하게 돼

차마 들을 수 없어
차마 볼 수 없어
자꾸만 고개를 돌리게 돼

"나의 하나님 나의 하나님
어찌하여 나를 버리셨나이까"

직면하기 힘들어
내 죄
그리고 날 대신한 사랑

---

1) 버림 받음

유기의 외침

차마 나를 버릴 수 없어
스스로 버려진 사랑의 외침
유기의 외침

난 좋아

흐으음
진아가 냄새를 맡아
스윽 훑고 가
아빠 냄새라며
흐으음

난 좋아

킁킁킁
진아가 냄새를 맡아
강아지처럼 부비부비
아빠 냄새라며
킁킁킁

그럼 난 좋아

진아가
아빠 냄새 맡으며
스윽 웃어주면
난 그저 좋아

아빠 언제 와

아빠 언제 와?
아빠가 와야 돼

이젠 안 가도 되는데
이젠 그만 가도 될듯한데

아빠가 안 오면
잠이 안 온다며
아빠를 끼고 있으려는 넘들

기어이 피곤한 몸을 이끌고
좁은 방, 더 좁아진 침대에
너랑 나랑 너랑
셋이 누웠다

10시, 11시...
방을 분리시켰는데
분리된 듯 분리되지 않은
이 느낌

칼처럼 옆으로 누워
잘 자라 우리 아가 도닥이며
문득 아! 행복하다 이 시간

다 크면 내쫓을 거라고 말한 것 회개하며
아빠가 영원히 함께 할게

봄을 기다립니다

차가운 바람이
씨이잉 씨이잉
휘이잉 휘이잉 하면

애써 피운 꽃들이
다 얼어버려
마음이 아파

어떻게든 녹여보려
애써보지만
상한 마음들만 시들어 가

그럴 땐
따뜻하게 옷 입고
추위를 견뎌

너도 한 입
나도 한 입
따스하게 목 축이고
추위를 견뎌

눈부신 봄이 오면

새하얀 꽃잎 다시 피울 테니까

그저 봄을 기다려

우는 자들과 함께

사랑은 흘러
흐르고 흘러
낮은 데로 가

사랑은 흘러
흐르고 흘러
메마른 곳으로 가

사랑은 그렇게 흘러
기어이 갈라진 틈으로 찾아가

허물어진 것을 다시 세우고
상처 난 것을 싸매주고
텅 빈 것을 가득 채워
기어이 일으켜 세워

더는 낮은 곳이 없도록
더는 메마른 곳이 없도록
더는 갈라진 틈이 없도록
그렇게 낮은 데로
낮은 곳으로 흐르고 흘러

사랑은 그렇게 흘러
나도 사랑을 따라 낮은 곳으로

마음을 같이 하며
높은 데 마음을 두지 말고
도리어 낮은 데 처하며

우는 자들과...
함께...
울라...

아버지의 선물

아버지는 참 좋은 분이셔서
나에게 참 좋은 선물을 주셔요

이 땅에서도 천국을 누리라고
형제와 자매를 백배로 주셨어요

형제자매와 함께 아버지를 노래해요
이 땅에서 노래하던 것을
저 하늘에서도 노래해요

아버지와 함께 서로 사랑해요
이 땅에서 사랑하던 대로
저 하늘에서도 사랑해요

영원히 함께 해요

네가 나를 믿어주었으면 좋겠다

떠나고 싶은 거니
떠나고 싶어서 그런 건 아니에요

머물고 싶은 거니
머물고 싶어서 그런 건 아니에요

너는 무엇을 원하니?
확신을 갖고 싶어요

내가 너를
너희들을
잘 이끌어줄 것에 대해
네가 믿어주었으면 좋겠다

예수님이라면
믿을 수 있어요
실수가 없고
실패가 없으신
주님을 신뢰해요

기뻐해

가정을 누려요
따스해요

아내를 누리고
딸들을 누리고
어머니를 누려요

아버지의 선물 보따리가
번쩍번쩍
한가득, 한가득이에요

아버지 감사해요
아버지 그러면 저는 무엇을 할까요

아버지의 선물 보따리 한가득
하나하나 뒤적뒤적
아버지 이제 저는 무엇을 할까요

너는 누려
반짝반짝 빛나는 나의 선물들
네가 기뻤으면 좋겠어

가장 빛난 선물

너의 형제와 자매

온전히 누려

기뻐해

외롭게 두고 싶지 않아, 너를

외롭게 두고 싶지 않아, 너를
다시는 혼자 울게 하고 싶지 않아, 너를

그런데 모르겠어
어떻게 다가서야 할지
보듬어야 할지
무슨 말을 해야 할지
도무지 모르겠어

무슨 말을 하려 숨을 들이쉬면
울음이 먼저 차올라
자꾸만 삼키게 돼

하나님이 만져주셔야 해요
하나님이 풀어주셔야 해요
하나님만 하실 수 있어요
빨리 가주셔야 돼요

꼼지락꼼지락
아버지께 다 일러바친 뒤 얼른 숨어
빼꼼히 고개만 내밀고 속삭여 본다

외롭게 두고 싶지 않아

다시는 너를

마음 대 마음

사랑은 마음으로

주님을 사랑하려면
주님의 마음에 들어가
진실한 마음을 드려
마음 대 마음으로

형제를 사랑하려면
형제의 마음에 들어가
진실한 마음을 드려
마음 대 마음으로

쓰라린 마음 앞에
웃지 않기
상처 난 마음 앞에
주장하지 않기

마음 대 마음으로 만나기
깊이 들어가 함께 울어주기

스윽

스윽
옮겨졌어

신기해
나도 따라 머리를 쓸어봤어
스윽

스윽
저 뒤편으로
보이지 않는 곳으로
캄캄함 속으로

스윽
있었는데
없어졌어

스윽
상처가 났었는데
흔적만 남았어

스윽
무언가 있었는데
찾을 수가 없었어

스윽
엉켜진 실타래는 블랙홀 속으로
추적이는 눈물방울들은 뽀송해졌어

스윽
그래서 다시 웃어
언제 그랬냐는 듯 다시 웃어

스윽
내 죄도 동에서 서로
수치스러운 거적때기도 새하얀 옷으로

스윽
높푸른 별빛이야
풀잎 같은 아침이야
자유야

제동 장치 장착

꾸준함이 경계해야 하는 것은
관성의 법칙이야

진정 불 뿜는 엔진 안에 있는지
내리막, 자유낙하...
움직이는 대로 움직여지는 건지

인생에서
브레이크가 걸리는 건 소중해

브레이크 없는 자동차는
언젠간 터지는 시한폭탄이거든

계속 달릴 수는 없으니까
제동 장치는 필수

늘 초록불이면
누가 진짜 순종하는지
고장이 난 건지
어떻게 알아

빨간불이 뜨면
멈춰 서는 걸 보고
진짜 순종하는지
사랑하는지
알 수 있는 거야

굴레와 멍에가 없는 소는
주인도 없어
주행 중 잠시 정차
제동 장치 장착

원혁아, 나야

예수님 얼굴을
이렇게 쳐다보고 있었지
한참이나 그 눈동자를
이렇게 바라보고 있었지

얼마나 시간이 흘렀을까
시선이 고정된 그곳에
누군가의 손도 보이고
누군가의 발도 보이고

왜 갑자기
이것저것을 보여주시나 생각했었지
나는 예수님이 더 보고 싶은 거라며
두리번거리며 찾았지

줌 아웃
또 줌 아웃
점점 줌 아웃
클로즈업 된 화면이 풀 샷으로

"원혁아, 나야
널 기쁘게 해주고 싶었어"

사랑으로 결정해

생각나무 가지에
때아닌 열매가
주렁주렁
치렁치렁
생각이 많은 밤

사랑으로 결정해
사랑하기로 결정해

복잡한 것은 복잡하게 두고
정리되지 않은 것은 정리되지 않은 채로
너는 나를 따라와
마음을 새롭게 해

사랑으로 결정해
사랑하기로 결정해

그저 주님과 함께 걷고 싶습니다
주님과 더 가깝게 있고 싶습니다

1%=100%

오십 대 오십
반반이래
네가 가면 나도 가고
네가 남으면 나도 남겠다고 해

100%면 참 좋은데
한 칠팔십 퍼센트라도 좋겠는데
오십일이 퍼센트는 뭐람

1%가 너무 적어 보였지
뭔가를 결정하기엔
너무 적은 양이 아닐까

기울기를 생각해
팽팽한 저울을
순간 기울게 하는 건
1%

때론 아주 적어 보이는
1%가
100%를 기울게 한다는 걸
1%가 전체를 좌우한다는 걸

1%면 충분해

상처가 상흔이 되길

사랑의 줄다리기를 해요
힘껏 당겼다
잠시 힘을 놓고 느슨하게

점점 가까워져
두 손을 맞잡고
부둥켜 얼싸안을 때까지

사랑의 줄다리기를 해요
조금 세게 잡아당겨도
아이들은 넘어지지 않아요

아이들이 넘어질 땐
우리가 잡은 줄을 놓아버릴 때
사랑의 줄다리기를 포기할 때
선생님이 넘어지면
아이들도 넘어져요

다시 두 발은 이 척박한 땅을 딛고
아득히 먼 별빛을 바라봐요
바람도 흙먼지도 우리 꿈을 빼앗아가지 못하게

상처가 상흔이 되길

환하게 꽃피우길

진지 금지

진지 금지!
아빠!
진지 금지야!

진아는
늘 진지를 금지해요

무서운가 봐요
무섭게 하려는 게 아닌데도
무서운가 봐요

사랑해라고 말하라고 해서
사랑해라고 말해요

진아 앞에서는
자꾸만
진지가 금지되어서
진지한 말을
애교 부리며 해야 해요

사랑한다 수없이 말해도
또 사랑한다 말해달래요

그런데 주님
저도 그래요

나를 사랑한다 말해주세요
더욱 말해주세요
얼마나 사랑하는지
항상 말해주세요

제가 잘 잊어버리니
계속 말해주세요
제가 잘 못 들으니
저를 가슴에 품고
귀에다 속삭여 주세요

무섭고 무서운 말
죄
죄인
지옥
마귀
심판

무섭고 무서운 말

무서운 말이
늘 사랑의 음성으로
바뀌어 들리게 해주세요

주님이 날 사랑해 주지 않으면
나는 거지
나는 깡통
바람에 날리는 티끌,
지푸라기
아무것도 아님을
나는 알아요

매일 진지가 금지되어도
진아는 다 듣고 있음을 알아요

저도 주님 다 듣고 있어요
진지 금지!

"사랑해 너를"
"영원히 사랑해 너를"

조용한 영웅

극찬을 받았습니다
하얀이가
조용한 영웅이랍니다

유명해지기를 바라지 않지만
하나님께서 우리에게 주신 것을
알리고 싶은 열정은
늘 가슴 답답하게
이 마음속에 있었습니다

왜 이리 조용할까
이상하다 생각했던 적이 있습니다

노래를 불러도
소리를 쳐도
미동도 않는 세상은
유리로 만들어진 호수 같았습니다

진동 없는 호수 맴돌다
오래 지나지 않아
알았습니다

우리가 선택한 주제가
세상에게 인기가 없다는 것을

나를 드러내고
나를 계발하고
나를 돋보이게 만드는 것은
솔깃하지만

나를 녹여
남을 품고
남을 섬기고
썩어지는 일들은
도무지 인기가 없습니다

캄캄한 흙으로 자신을 덮고
조용히 생명을 품는 일
스스로 생명을 녹여
생명을 탄생시키는
조용한 삶
오늘 그 '조용한'이라는 말이
참 듣기 좋았습니다

많은 사람들의 인기보다
가장 가까운 사람에게서 듣는
'너는 이런 사람이야!' 붙여준 이름이
최고의 위로로 눈물짓게 합니다

만일 내 삶에
아주 작은 사랑의 열매라도 맺히게 된다면
그 모든 것은 마른 나뭇가지 같은 내가 아니라
오직 당신에게서 흘러온 생명임을 고백합니다

제 마음은 자주 뜨겁습니다
가슴보다 반응이 늦는 제 삶은
언제나 타는 듯한 통증을 느끼게 합니다

언젠가 제가 준비되어
항상 뜨겁게 될 때는
하나도 남김없이
다 불태워 드리기 원합니다

조용히
조용히
또 조용히

덮어주셔서 감사합니다
가려주셔서 감사합니다
당신 안에 감춰주셔서 감사합니다

그녀에게서

그녀에게서
새봄 향기가 납니다

척박해 보이는 땅을
밀어내고
새싹을 틔우듯
힘껏 기지개 펴는
그녀를 봅니다

그녀는
괴롭힘을 당해도 되는 사람이 아닙니다

그녀는
사람들이 마음대로 대해도
괜찮은 사람이 아닙니다

그녀는
꿈꾸는 사람이고
자유롭게 날개 펼치는 사람입니다

그녀는

가장 따뜻한 아버지의

유일한 딸입니다

한동안 멈추었던

그녀가

이제 시원하게

숨을 내쉽니다

새봄이 왔음을 알리는

설레는 숨결입니다

영원한 새봄을 달리는

지치지 않는 아이의 뜀박질 소리입니다

어둠은 손도 못 대는

완연한 새봄입니다

깨어나요

사람들은
거짓말을 좋아해요

작은 거짓말보다
큰 거짓말을 더 좋아해요

많이 반복할수록
거짓말 믿기를 편안해해요

더 많은 사람들이
더 크게 외칠수록
거짓말에 동참하길 기뻐해요

진실을 알려 하면
알 수도 있겠지만
진실이 꼭 궁금한 건 아니에요

거짓말에
약간의 서사를 첨가해 주면
사람들은 더욱 열광하지요

그러니
눈을 떠야 해요
크게 떠야 해요

마음의 문을 열고
찾도록 찾아야 해요

감정이 시키는 대로
달려가지 말고
진실의 증거가 가리키는
이정표를 따라
공평한 이성으로
판단해야 해요

다수가 믿은
엄청난 거짓말
엄청난 학살
역사 속에는 많았어요

진실은 언제나 담백한 맛이 나요
거짓보단 덜 매력적일 수 있어요
그러나 진실은 영원히 빛나요

정의를 외치는 사람들이
가장 정의롭지 않을 수 있고
진실을 외치는 사람들이
가장 거짓될 수 있어요

말이 아니라
행동을 살펴야 해요
부지런히 살펴야 해요

오! 사랑하는 그대여!

많은 사람들이
달려가는 곳으로
그저 달리려 하지 말아요

두드리고
구하고
찾아요

열리고
얻고
찾게 될 거예요

거대해 보이는 거짓이
암흑같이 둘러싸 눌러도
그래봤자 거짓인 걸요

진실이 한줄기 빛처럼 작아 보여도
결국 모든 어둠을 몰아낼 거예요
진실이 이미 이긴 싸움이에요

오! 사랑하는 그대여!

이젠
깨어나요
눈을 떠요
진실을 찾아 떠나요

한성감옥

고문 받던 사형수가
부활하신 예수님을 만난 곳

가시 고문 받던 사형수가
가시 면류관 쓰신 예수님 눈을 마주친 곳

매 맞아 허물어진 사형수가
죄 없이 매 맞는 창조주에게 위로받던 곳

채찍 맞아 너덜너덜해진 사형수가
예수님이라면 나의 아픔 이해하시겠구나 마음 열던 곳

다리를 뻗을 수도
누울 수도 없는
사방 1m도 안되는 좁은 공간
목에는 칼이, 쇠고랑과 족쇄를 차고
고통으로 숨 막히던 사형수에게
자유와 희망, 평강을 붓던 곳

"Oh GOD, save my soul and save my country."

참혹한 감옥
꿈꿀 수 없는 곳에서
하나님의 나라를 꿈꾸던 곳

어둠에 갈아져 흔적 없는 나라
어둠에 짓눌려 절망뿐인 민족
자유케 해달라는 첫 기도 드려진 곳

한성감옥
조선 최고의 옥중 도서관
조선 최고의 옥중 부흥
조선 최고의 옥중 교회
하나님의 섭리를 따라
독립과 건국의 기초를 닦던 곳

볼 수 없는 미래를 바라보며
오늘의 나와 너를 있게 한
하나님의 기적의 시작,
어둠 속에 홀로 밝던
불덩이 같은 한성감옥

1919년 3월 1일

0.3

87

이해할 수 없는 숫자

0.3

87

기적의 숫자

0.3이

87

어떻게 가능했을까

0.3이

87

무엇을 가졌기에

3.1운동

그날의 함성,

인구의 0.3%가

투옥자의 87%가 되던 날

이해할 수 없는 숫자
크리스천

기적의 숫자
크리스천

어떻게 가능했을까
무엇을 가졌기에

옷깃을 여미며

내가 네게 쉼을 주지 않았느냐
내가 네게 사랑으로 돌아올 기회를 주지 않았느냐
첫 단추를 바로 꿰어 옷깃을 여미게 해주지 않았느냐
반짝이는 눈망울을 바라보며 한참 동안 행복하지 않았느냐

옷깃을 여미며 마음을 정합니다
예수님을 사랑하는 것에 반대되는 것을 선택하지 않겠습니다
앞을 헤아리지 못하더라도 하나님의 뜻에 순복하겠습니다
하나님께서 무엇을 원하시는지 듣고 순종하겠습니다

양털 한 뭉치

양털 한 뭉치를
집어 듭니다

타작마당에 두려고
조심스레 걷습니다

양털만 젖게
양털만 마르게

"내가 반드시 너와 함께 하리니"

극히 약한 집에
가장 작은 자인 기드온

양털로 시험하는 기드온처럼
조심스레 나갑니다

그릇 한가득 고인 물
양털을 짜며
제 마음도
분연히 일어납니다

대한민국의 첫 할머니

대한민국의 첫 할머니는
푸른 눈을 가졌대요

고향 사람이 할머니를 알아보고
나도 같은 나라 사람이라
반가이 인사하면,
아니오
나는 한국 사람이라
우연히 오스트리아에서 태어났을 뿐이라고 말했대요

우리는 승리할 거라고
우리는 부강해질 거라고
우리는 번영할 거라고
종일 늠름하게 외치던 할아버지가 집에 돌아오면
우리 민족을 구원해달라고
밤새 울기 시작하는 아기가 되어
일평생 기도하는 남편 등만 보며
함께 밤을 지새워 기도했대요

속옷 15년
양산 30년

통일이 될 때까지는
독립이 된 것이 아니니
아껴야 한다며
내가 죽거든
꽃도 사용하지 말라 했대요

가난한 독립운동가였던
할아버지를 사랑해
할아버지 만날 때는
꼭 틀니를 끼고 만나야겠다고
죽기 전에 꼭 틀니를 끼워 달라 했대요

한국인보다 한국을 더 사랑한
대한민국의 첫 할머니는
할아버지가 독립운동할 때 사용했던
태극기로 몸을 덮어주고
함께 기도하며 읽던 성경 책을
자기 무덤에 꼭 넣어달라 했대요

할머니의 관 뚜껑에는
할아버지가 손으로 쓴
'남북통일'을 꼭 써 놓아달라 했대요

낚시꾼 할아버지의 비밀

쿵쿵! 쾅쾅!

포탄은 떨어지는데
할아버지는
오늘도 작은 배를 타고
사람 없는 곳으로
저만치 떠나갔어요

전쟁통에 시간만 나면
낚시하러 간대요

낚시꾼 할아버지가
솜씨는 형편없어
오늘도 물고기 없이
빈손이래요

싸웁시다
이길 수 있습니다
자신만만하게 말하지만
할아버지도 속으론
눈물이 났대요

할아버지가 울면
사람들이 다 우니까
하나님 앞에 울고 싶을 땐
강으로 강으로
저만치 배를 띄워놓고
엉엉 울었대요
엉엉 기도했대요

끊임없이
끊임없이
끊임없이
쉬지 않고 기도했대요

낚시꾼 할아버지
이 미련한 노인
지혜를 주셔서
민족의 살길 열어달라고
기도했대요

기도꾼 할아버지
함께 한 강물과 배만
알고 있었대요

사명(使命)

몇 주 전 주일 예배를 드리고
밤중에 형아가 전화를 했습니다
이제 준비되어야 하지 않겠느냐고

뭔가 풀어주셔야 할 것 같다고
한 발 뒤로 빼는 듯 말하는
제 모습을 보며
마음이 좋지 않았습니다

그 뒤로
몇 주째 가슴이 아픕니다
하루도 쉬지 않고
타는 듯
통증이 사라지지 않습니다

몇 주째 심장이 답답합니다
하루도 쉬지 않고
숨이 막힐 듯
호흡이 쉽지 않습니다

몸은 멀쩡한데
마음이 불에 타는 듯합니다
'어떻게'를 생각하면
가슴에 불이 번져 어쩔 줄 모르겠고
'누가'를 생각하면
잠시 마음이 안정됩니다

하나님이 하십니다

몇 주 후 주일 예배를 드리고
아내에게 말했습니다
하나님이 부르시는 것 같다고
어디론지는 몰라도
가야 할 것 같다고

알고 싶은데
알기보단
믿기를 원하시는 것 같습니다

어쩌면 저는
어찌할 수 없는 근거를 갖고 싶었나 봐요
하나님은 저에게
어찌할 수 없는 뜨거움을 부으셨습니다

담 넘어 들어가는 예쁜 카페에서
누나가 말해주었습니다

타는 듯 견딜 수 없어서
몰려가는 길이라고
가지 않고서는 견딜 수 없어
휩쓸려 가는 길이라고
잠도 재우지 않고
떠나지 않는 생각으로
몰아세우는 길이라고
사명이라고

이성으로는 모르겠는데
가슴이 온통 불이라서
견딜 수 없는 것이라고
무얼 정리하는 게 아니라
하늘에서 부어지는 것이라고
사명이라고

목사님은
눈물이 그치면 그만하겠다고 하셨어요
아마도 마르지 않을 것 같은 그 눈물

제단에서 집은 핀 숯을
제 입술에 대주세요

내가 누구를 보내며
누가 우리를 위하여 갈꼬
분명히 듣게 해주세요

내가 여기 있나이다
나를 보내소서
외치고 외치도록

주님, 제가 마음을 정하면

주님
일단 제가 마음을 정하면
돌이키지 않게 해주세요

주님
일단 제가 걷기 시작하면
곁길은 다 없애주세요

주님
일단 제가 싸우기 시작하면
물러서지 않게 해주세요

주님
일단 제가 죽기로 작정하고
제 마음의 성문을 닫으면
주님이 친히 성문을 굳게 걸어 잠그고
아무도 내 마음을 열지 못하게
나의 대장이 되셔서
그렇게 나를 지켜주세요

나를 지켜주세요